KB044218

この本は 私自身 とても
気に入っているものです。
韓国の皆さんにも 見ていただける
ことになって

とても
よろこんで
います。　佐々木マキ

"이 그림책은 저 스스로도 무척 마음에 들어 하는 작품이에요.
한국 독자분들께 보여드리게 되다니 기쁩니다."

2021년 2월 사사키 마키

이상한
다과회

사사키 마키

오고원 옮김

올해도 어김없이 초대장이 도착했습니다.

트란스발, 로마나
191X년 9월 4일

요코하마에 계신
가메타로 오이와 씨께
~~~~~~~~~~~~~~~~~~~~~~

친애하는 오이와 씨,
올해도 어느덧 입맛을 다시게 되는
계절로 접어들었네요.
때는 11월 4일 오후 6시 3분으로
예정하고 있습니다.
다른 분들도 초대했는데,
부디 올해도 모두 함께하는
자리가 되기를 기대합니다.

전기자전거로 나서볼까나.

1년 만의 재회라니, 설레는걸.

인도 라이푸르의 이발사 스밀라 씨는

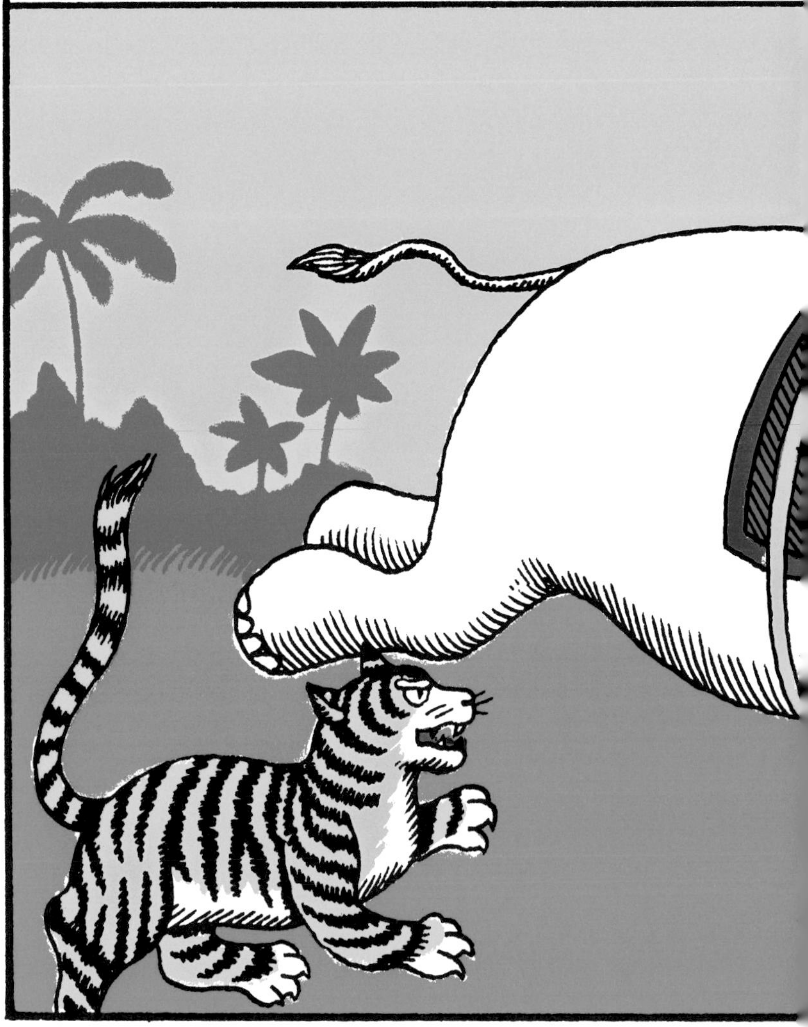

매년 코끼리를 타고 옵니다.

프랑스 낭트의 공증인 뒤부 부부는

그들의 자랑인 비행기로 출발해서, 염소로 갈아타네요.

아일랜드 더블린의 외과의사 와일드 선생님과

세계 각지에서 출발한 이들 모두

지금쯤이면 목적지에 가까워졌을 테죠.

산을 넘어서, 바다를 건너서

1년에 딱 하루뿐인 이날을 위해서……

재회의 기쁨을 나누게 된 겁니다.

이제 캄캄한 숲을 빠져나오면

상은 벌써 차려져 있답니다.

달이 뜨고 올해도 어김없이 때가 됐네요.

바위산에서 천연 코코아가 솟습니다!

"브라보!" 모두가 외치지요.

결 코 잊 을 수 없 는 코 코 아 의 맛.

"안녕히 게세요, 건깅히 지내다 내년에 또 만나자고요."

(……여러분도 코코아를 마시고서 포근히 잠드세요.)

이상한 다과회 変なお茶会
1판 1쇄 찍음 ┃ 2021년 2월 14일
1판 1쇄 펴냄 ┃ 2021년 2월 28일
글·그림 ┃ 사사키 마키
번역 ┃ 오고원
편집 ┃ 김미래
디자인 ┃ 스팍스에디션

펴낸이 ┃ 김태웅
펴낸곳 ┃ goat
출판등록 ┃ 2016년 6월 1일 제2018-000235호
주소 ┃ 서울시 마포구 백범로48, 2F

goat 는 쪽프레스의 단행본 브랜드입니다.
종이를 별미로 삼는 염소가 차마 삼키지 못한 마지막 한 권의 책을 소개하는 마음으로,
알려지지 않은 책, 알려질 가치가 있는 책을 선별하여 펴냅니다.

jjokk-press.com
instagram @jjokkpress